Arnaud Alméras &

La princesse et les chevaliers

Éditions
amaterra

Après l'école, Émile rend visite à son ami Marco.
Il se faufile par leur passage secret…
– Salut, Émile !
– Salut, Marco !

Marco et Émile se déguisent. Leur jeu préféré, c'est d'être chevaliers.

Zélie, la sœur de Marco, s'approche :
– Je peux jouer avec vous ?
– Non, on n'a pas envie ! répond Marco.

Zélie s'éloigne pendant que Marco et Émile préparent un tournoi de chevalerie.

Le tournoi commence.
Mais au premier coup,

« Paf ! »

Émile tombe à la renverse.

Bien qu'Émile soit un chevalier, il pleure un peu, car il saigne.

– Pardon ! J'ai pas fait exprès, s'excuse Marco.
Viens, Maman va te soigner.

Dans la salle de bains, la maman de Marco soigne Émile.
– Ça pique ? demande Marco.
– Pas trop, répond Émile qui est très courageux.

La maman de Marco colle un petit pansement sur le coude d'Émile et dit :
– Un bon goûter et tout ira mieux !

Lorsqu'Émile et Marco ressortent,
ils aperçoivent Zélie, tranquillement installée
dans un arbre.
– C'est chouette ! On peut venir avec toi ?
demande Marco.

– Moi, je suis bien, toute seule,
répond sa sœur en boudant.
– Allez, sois sympa !
supplie Émile.

Zélie hausse les épaules :
– Bon d'accord, mais alors moi, je serais Fleur de Muguet, une princesse très belle. On m'aurait enfermée dans une haute tour et…

Émile pose un genou à terre :
– Princesse, on est justement des chevaliers et on sauve très bien les princesses !
– En plus, on est très forts dans les bagarres ! ajoute Marco.

– On dirait que tu appellerais au secours, explique Marco.
Aussitôt, Zélie fait de grands gestes :
– Ohé, Chevaliers ! Je suis prisonnière !

Émile lève la tête :
– Ça alors, je vois une belle princesse prisonnière tout en haut d'une tour !
– Il faut vite la délivrer ! s'écrie Marco. Arrêtons nos chevaux... Ooooohhh !

Marco attrape la corde à sauter de Zélie :
– On va grimper au sommet de la tour.
Et ensuite, on descendra la princesse
dans nos bras.

Mais Émile et Marco
ont beau s'agripper de toutes
leurs forces à la corde,

ils parviennent juste…
à se faire mal aux mains.

– Bon, on va s'y prendre autrement pour grimper dans l'arbre, heu, dans la tour ! décide Marco.

Émile propose à Zélie :
– Fleur de Muguet, accrochez-vous fort à mon cou, on descend.

Émile se cramponne
à la corde,
trois secondes…
– Attention,
je lâche !

Vite, Émile se redresse, tout fier :
– Voilà, Princesse, vous êtes délivrée !

Zélie se relève à son tour :
– Merci, vous m'avez sauvée, mais j'ai failli me faire mal !
– Oui, c'est assez risqué, les aventures. Et maintenant, vite, à cheval ! crie Marco.

Une voix s'élève de l'autre côté de la haie :
– Émile ? C'est l'heure de rentrer !

Émile se glisse dans le passage secret :
– Maman m'appelle... À demain !

– On recommencera à sauver la princesse, lui crie Marco.
– Non... Demain, c'est la princesse qui sauvera les chevaliers, précise Zélie.